Des enfants dans l'Histoire

À Paris sous l'Occupation

Texte de Yaël Hassan
Illustrations de Ginette Hoffmann

casterman

L'étoile jaune

Tous les matins, Julien venait chercher Clara pour aller à l'école. Cela faisait quatre ans qu'il en était ainsi, depuis qu'ils se connaissaient en fait, et c'était un vrai bonheur que de cheminer côte à côte en riant, courant et sautillant, puis de refaire le chemin en sens inverse pour rentrer à la maison. Mais ça c'était avant, à l'époque où Julien croyait que rien ni personne n'aurait pu l'éloigner de Clara. C'était avant la guerre.

Au mois de juin 1940, les Allemands avaiant envahi la France et s'étaient installés dans la capitale, avec leurs panneaux indicateurs en allemand et leurs énormes bannières rouges frappées de la croix gammée qui fleurissaient sur les bâtiments officiels. On disait que Paris était devenu allemand... Une fois l'armistice signé, la vie avait repris un cours

Au mois de juillet 1940, les Allemands avaient envahi la France et s'étaient installés dans la capitale.

presque normal. C'est plus tard que les choses s'étaient gâtées. Surtout pour Clara. Un matin de l'année 1942, quand elle avait ouvert la porte, ses yeux étaient pleins de larmes, et elle portait, cousu sur sa jolie robe rouge, un morceau de tissu jaune en forme d'étoile sur lequel était inscrit en lettres noires et tordues le mot "Juif".

— Je ne pourrai pas marcher dans la rue comme ça. Je ne pourrai plus aller à l'école, avait-elle dit en éclatant en sanglots.

Julien n'avait pas su comment la consoler. Il était resté là, pétrifié sur le seuil de l'appartement, sans rien dire, sans comprendre surtout. Il savait que les parents de Clara venaient d'un pays lointain, la Pologne, et qu'entre eux ils parlaient une autre langue que le français. Il savait également qu'ils pratiquaient une religion différente de la sienne, la religion juive, mais pourquoi fallait-il le porter inscrit sur la poitrine, au vu de tous ?

Devant son effarement, la maman de Clara lui avait expliqué :

— C'est la nouvelle loi. Tous les Juifs de plus de six ans doivent désormais porter ce signe. Mais Clara doit aller à l'école malgré tout. Je sais que tu veilleras sur elle, avait-elle ajouté.

En arrivant à l'école des garçons, il s'aperçut que plusieurs de ses camarades portaient eux aussi l'étoile jaune.

Alors Julien avait pris Clara par la main. Certains passants les avaient regardés avec gentillesse, d'autres s'étaient détournés, indifférents. Et quelques regards cruels, ironiques avaient transpercé le cœur des enfants. Julien avait dû laisser Clara entrer seule à l'école des filles. Il avait si mal en la voyant s'éloigner, la tête haute, retenant probablement ses larmes. En arrivant à l'école des garçons, il s'aperçut que plusieurs de ses camarades portaient eux aussi l'étoile

jaune. En classe, il constata que ceux-ci s'étaient regroupés au dernier rang. Personne n'alla s'asseoir à côté d'eux, comme s'ils souffraient de la peste. Alors, Julien avait pris ses affaires et s'était installé près de David sous l'œil désapprobateur des autres élèves.

Le maître avait pris la parole :

— Certains de vos camarades portent, ce matin, un signe distinctif que je considère, pour ma part, des plus avilissants. J'en suis profondément choqué et peiné pour ces enfants et leurs familles. Aussi, sachez que je ne tolérerai pas, à l'intérieur des murs de notre école, la moindre brimade, le moindre quolibet à l'encontre des élèves israélites. Et j'attends de vous la même attitude naturelle que celle que vient d'avoir Julien. Il faut que vous ne considériez ces enfants en aucune façon différemment de ce que vous l'avez fait jusqu'ici, alors que vous ignoriez, pour la plupart, qu'ils étaient juifs. Ainsi, toi, Antoine, je suis surpris de ne pas te trouver assis, ce matin, à côté de ton ami Jacques, comme je te l'ai vu faire tout au long de l'année. Je me souviens pourtant avoir lu de ta part une très jolie rédaction sur l'amitié qui lui était adressée. L'as-tu oubliée ?

C'est mes parents qui ne veulent plus que je lui cause, avait-il bredouillé.

Antoine avait rougi et baissé la tête.

— C'est mes parents qui ne veulent plus que je lui cause, avait-il bredouillé.

Le maître avait poussé un profond soupir de consternation et c'est un regard affligé et réprobateur qu'il avait alors adressé au portrait du maréchal Pétain dont les enfants chantaient les louanges, chaque matin, en poésies ou en chansons.

Messerschmitt 109

Char Panzer Mark IV

La situation en 1942

Le 1ᵉʳ septembre 1939, les armées allemandes entrent en Pologne et jusqu'au milieu de l'année 1942, rien ne semble pouvoir arrêter les conquêtes du Reich. Mais 1942 est considérée comme un véritable tournant : ce sera l'année des premiers revers majeurs pour les Allemands et celle des premiers grands succès des Alliés avec le débarquement en Afrique du Nord, le 8 novembre. Trois jours plus tard, les Allemands envahissent la zone sud de la France, dite jusque-là "zone libre". Alors que le gouvernement de Vichy, pour se légitimer, prétendait avoir pu épargner l'occupation allemande à une partie de la population, voilà que le pays tout entier se trouve soumis à l'occupant. Ailleurs, les Soviétiques à Stalingrad et les Américains en Afrique du Nord ont commencé à donner de sérieuses preuves de leurs capacités militaires : la défaite allemande devient concevable. 1942 est aussi l'année où la haine raciale atteint son apogée avec la décision prise par les nazis d'exterminer tous les Juifs d'Europe.

11

Sombres vacances

Depuis, il s'est passé tant de choses. Des interdictions de toutes sortes n'ont cessé de pleuvoir sur les Juifs. Il leur est désormais défendu d'aller au cinéma, au théâtre, de fréquenter les musées, les bibliothèques. Dans les jardins publics, des panneaux indiquent que l'endroit est réservé aux enfants et interdit aux Juifs. Ni Julien ni Clara n'ont compris ce que cela voulait dire. Et le père de Julien a été bien embarrassé quand ils lui ont posé la question.

> *Dans les jardins publics, des panneaux indiquent que l'endroit est réservé aux enfants et interdit aux Juifs.*

Cette interdiction leur pèse lourd, en ce mois de juillet 1942, alors que l'école est enfin finie et que de longues vacances s'offrent à eux. Ne plus avoir le droit de se rendre à la bibliothèque et d'y emprunter des livres est particulièrement douloureux. Clara est si peinée qu'elle refuse de lire les livres que Julien emprunte pour elle. Alors, ils jouent dans la cour de l'immeuble, car il n'est pas question pour Julien d'aller au parc sans son amie Clara. Ce n'est pas le cas des autres enfants de l'immeuble qui se moquent d'elle et les narguent en criant à tue-tête qu'ils y vont jouer, au square, puisqu'ils ne sont pas juifs. Et Julien serre les poings tandis que Clara ne peut s'empêcher de laisser couler ses larmes. Comme si porter l'étoile jaune n'était pas assez humiliant. Julien est désarmé devant le chagrin de Clara. Mais que peut-il faire, à dix ans, contre tant d'injustice et de cruauté ?

> **La maman de Clara s'est rendue une fois à Drancy pour essayer de voir son mari.**

Il essaie bien de l'amuser en inventant de nouveaux jeux, mais Clara n'a pas le cœur à rire. Comment pourrait-elle s'amuser alors qu'elle n'a aucune nouvelle de son papa, arrêté un jour dans la rue et emmené dans cet endroit qu'on appelle Drancy ? Elle et sa maman sont très inquiètes pour lui. Il paraît que de là, on les envoie dans d'autres camps, en Allemagne ou en Pologne. La maman de Clara s'est rendue une fois à Drancy pour essayer de voir son mari. Elle a préparé un colis avec plein de bonnes choses que des voisines sont venues spontanément offrir, alors qu'il n'est pas aisé de se procurer de la nourriture en ces temps de restrictions. Il faut des tickets pour acheter du pain, de la viande, du savon ; tout est rationné ; on ne trouve plus de sucre, de café, de farine et l'on est contraint de manger d'infects topinambours et rutabagas, légumes qui, avant la guerre, servaient de nourriture au bétail. Dans le colis, Clara a glissé une lettre et un dessin. Mais le camp, entouré de fils barbelés, est surveillé par des gendarmes avec des fusils et des chiens, et ils n'ont pas laissé entrer sa maman, ni même autorisée à déposer le colis pour son mari.

Quand Clara avait raconté à Julien l'échec de la visite à Drancy, il décida d'en parler à son papa. Il espérait qu'il pourrait faire quelque chose.

— Je vais essayer, promit-il à son fils, mais n'en dis rien à Clara, car il n'est pas sûr, tout policier que je sois, qu'on me laisse voir son père.

Il avait été déporté vers un autre camp. Un camp dans l'Est, c'est tout ce que M. Lucas avait été en mesure de recueillir comme information.

M. Lucas profita de son premier jour de congé pour aller jusqu'à cette ville située non loin de Paris, une cité inachevée et inhabitée de banlieue, où étaient regroupés, dans des conditions pitoyables, les hommes juifs arrêtés dès les premières rafles de 1941. Il n'y vit pas le père de Clara parce que celui-ci n'était déjà plus au camp. C'est ce que lui expliqua l'un des gendarmes chargés de la surveillance. Il avait été déporté vers un autre camp. Un camp dans l'Est, c'est tout ce que M. Lucas avait été en mesure de recueillir comme information.

Comment annoncer cette nouvelle à Julien ? Et à Clara ? Julien avait tout de suite deviné que les nouvelles n'étaient pas bonnes. Il décida alors de ne pas en parler à Clara. Ce serait la toute première fois de sa vie qu'il aurait un secret qu'il ne pourrait partager avec elle. Mais ne valait-il pas mieux que cette souffrance n'affecte que lui ? essayait-il de se persuader. Il ne voulait pas ajouter un nouveau chagrin à ceux déjà si nombreux de son amie et de sa maman.

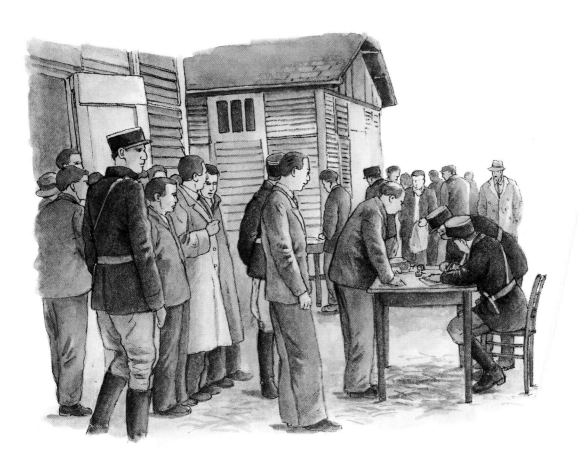

Les lois antijuives et la déportation

En octobre 1940, le gouvernement de Vichy lance de sa propre initiative une politique antisémite en adoptant le Statut des Juifs et la loi sur les étrangers de race juive. Les Juifs n'ont plus accès aux écoles, à l'administration publique et aux professions libérales, et tous leurs biens sont saisis. En janvier 1942, quatorze hauts fonctionnaires nazis décident des modalités de ce qu'ils appelleront la "Solution finale à la question juive", c'est-à-dire l'extermination. Après quelques hésitations, le gouvernement de Vichy se rallie à ces mesures et permet la déportation des Juifs "apatrides" vers les camps. C'est le début d'un long calvaire pour les Juifs étrangers réfugiés en France et qui n'épargnera pas, par la suite, les Juifs français. D'innombrables mesures, dont la plus marquante sera le port de l'étoile jaune à partir de six ans, les isolent peu à peu du reste de la population. Puis viendront les grandes rafles de l'été 1942 et notamment celle du Vélodrome d'hiver, les 16 et 17 juillet, préludes aux crimes des camps de la mort.

De bien mauvaises nouvelles

Un soir, M. Lucas rentre à la maison l'air préoccupé. Julien, de son lit, l'entend parler à voix basse avec sa mère. De temps à autre, il lui semble percevoir le nom de Clara. Fou d'inquiétude, il se lève et colle son oreille à la porte de la salle à manger.

— Ce n'est pas possible ! s'exclame sa maman. Ils n'arrêteraient quand même pas les femmes et les enfants ! C'est inimaginable !

— Je te dis et te répète que si, justement, s'irrite son père. Je suis bien placé pour le savoir, non ? C'est nous, la police, qui sommes chargés de ce sale boulot.

— Il faut faire quelque chose, les prévenir, au moins.

— Tu as raison, dit alors son père, il faut leur dire de partir ou du moins de ne pas ouvrir la porte. Je ne peux pas faire mieux. Nous n'avons aucun endroit pour les cacher.

— Dis-lui que nous pourrions nous occuper de la petite, la prendre avec nous si ça peut l'aider.

Ce n'est pas possible ! s'exclame sa maman. Ils n'arrêteraient pas les femmes et les enfants ! C'est inimaginable !

19

— C'est dangereux, Hélène. Nous ne pouvons pas prendre un tel risque.

— Eh bien si ! s'emporte Mme Lucas. Nous nous devons de le faire. Ton fils aîné, il en prend bien des risques, lui ! Et il n'a que dix-sept ans ! Alors si lui risque courageusement sa vie tous les jours, tu peux tout de même, toi, le policier, faire un geste, non ?

Julien n'entend pas la réponse de son père. Juste quelques grommellements incompréhensibles et la porte qui s'ouvre puis se referme sur son pas lourd.

Julien bondit alors dans la pièce et demande des explications à sa maman.

Personne n'est au courant, apparemment. Sauf les policiers chargés d'arrêter ces pauvres gens.

— Ton père vient de m'apprendre que, demain matin, il y aura une grande rafle dans Paris, au cours de laquelle seront arrêtés un grand nombre de Juifs étrangers, dit-elle en soupirant.

— Mais Clara n'a que dix ans. En plus, elle est française ! s'exclame Julien.

— Je sais, mais sa maman ne l'est pas. Aussi papa est allé la prévenir de ce qui se prépare. Personne n'est au courant, apparemment. Sauf les policiers chargés d'arrêter ces pauvres gens.

— Les policiers ? s'alarme Julien. Les policiers comme papa ?

Mme Lucas hoche la tête, l'air désolé.

— Ce sont des ordres, Julien. Et un policier doit obéir aux ordres. Mais nous pourrions recueillir Clara jusqu'au retour de sa maman. Si ce sont les policiers français qui les arrêtent, je ne pense pas que ces gens soient en danger.

Julien est bouleversé. Il ne sait plus s'il doit rire ou pleurer. Il serait très heureux d'avoir Clara avec lui, chez lui, comme une sœur. Il s'en occuperait, veillerait sur elle, ainsi que sa mère le lui avait demandé le fameux

jour où elle avait arboré l'étoile jaune pour la première fois. Mais il se doute bien que toutes deux seraient terriblement malheureuses d'être séparées.

Quand son père revient enfin, il s'étonne à peine de trouver son fils qui l'attend, déterminé à être tenu au courant des événements graves qui se jouent. Connaissant son attachement pour Clara, il comprend son inquiétude.

— Elle ne veut rien savoir, fait-il d'une voix hésitante. Elle refuse que nous lui prenions sa petite. Elle dit qu'elle n'a plus qu'elle au monde. Elle dit aussi que si ce sont des policiers français qui viennent l'arrêter, elle n'a pas trop peur. Ce n'est pas comme si c'étaient des Allemands.

— Je pense qu'elle n'a pas tort, fait alors la maman de Julien qui se veut rassurante.

Julien pressent qu'un grave danger menace son amie. Et son père semble au courant de ce qui va se tramer...

La moue sceptique de son papa n'échappe pas à Julien et ne le rassure pas le moins du monde. Bien au contraire ! Il pressent qu'un grave danger menace son amie. Et son père semble au courant de ce qui va se tramer. Il sait, se dit Julien, mais il ne m'en dira pas davantage. Abattu, il regagne son lit, sans parvenir à s'endormir. S'il arrivait quelque chose à Clara, Julien ne se le pardonnerait pas. Mais surtout, il ne pardonnerait pas à son père de ne pas avoir protégé son amie et sa maman. N'est-il pas policier ? Et combien de fois a-t-il affirmé à son fils que le rôle d'un policier est de protéger les gens, justement ? Julien entend ses parents chuchoter encore longtemps mais il ne réussit pas à saisir leurs propos et finit par sombrer dans un sommeil tourmenté.

Résistance et collaboration

Dès 1940, Hitler peut compter sur l'appui du gouvernement de Vichy, dirigé par Philippe Pétain, qui établira spontanément un régime autoritaire, xénophobe et antisémite. La belle devise républicaine "Liberté, Égalité, Fraternité" est remplacée par celle du nouvel État français : "Travail, Famille, Patrie". Le 24 octobre 1940, Pétain se déclare prêt à rechercher la collaboration dans tous les domaines avec l'Allemagne nazie et rencontre Hitler à Montoire. Mais dès l'occupation de leur pays par les Allemands, des patriotes français, refusant la défaite et soucieux de lutter contre le nazisme et le fascisme, se regroupent spontanément et s'opposent à la puissance occupante. Certains agiront dans la clandestinité de diverses façons : propagande, collecte de renseignements, filières d'évasion, attentats contre les troupes d'occupation, sabotages d'usines et de voies ferrées, lutte armée depuis les "maquis"... D'autres rejoindront les Alliés en Angleterre, comme le général de Gaulle qui s'envole pour Londres d'où il lancera, le 18 juin 1940, son fameux appel à la Résistance.

La rafle

Le lendemain, Julien est réveillé très tôt par une agitation inhabituelle qui lui parvient de la rue. Il se lève et se précipite à la fenêtre de la salle à manger. Ce qui se déroule sous ses yeux lui semble bien étrange. Dans la rue, malgré l'heure matinale, sont rassemblés plusieurs de leurs voisins, tous marqués de l'étoile jaune, une valise ou un baluchon à la main. Il y a là des hommes, des femmes, des enfants, des bébés, des vieillards, entourés de policiers. Julien regarde sa maman sans comprendre. Celle-ci détourne les yeux, s'éloigne de la fenêtre et s'affale sur le canapé en sanglotant.

Il y a là des hommes, des femmes, des enfants, des bébés, des vieillards, entourés de policiers.

Julien ne peut se détacher du spectacle irréel qui s'offre à lui. Parmi ces gens, il reconnaît des garçons de sa classe, des compagnons de jeux, des voisins, tête basse, épaules voûtées, tandis que s'agitent et crient autour d'eux les policiers, leur matraque à la main. Que vont-ils faire de tous ces gens ? Où vont-ils les emmener ? Dans des camps de travail, comme il l'a entendu dire par sa mère la veille ? Pourquoi enverrait-on des enfants, des bébés dans des camps de travail ? Et pourquoi les policiers ne font-ils preuve d'aucune bienveillance, d'aucune gentillesse ? Julien se dit que son père fait de même, peut-être, dans un autre quartier. Son père qui était donc au courant de tout cela, dès la veille, et qui exécute froidement les ordres, tout comme ses collègues, en bons policiers qu'ils sont. Cette idée lui est insupportable. Il regrette alors d'être aussi petit et de ne pouvoir entrer dans la Résistance comme son frère. Il aurait empêché tout ça, lui, s'il avait été résistant.

La maman de Clara ne veut pas se séparer de sa fille. Il faut qu'elle trouve un moyen de se cacher toutes les deux.

Après le départ de M. Lucas, venu les prévenir du danger la veille au soir, la maman de Clara est restée longtemps éveillée, assise sur une chaise dans la cuisine. Elle ne veut pas se séparer de sa fille. Il faut qu'elle trouve un moyen de se cacher toutes les deux. Elle s'est alors levée et a été voir la concierge. Après l'avoir écoutée en hochant la tête et en soupirant, celle-ci a pris un gros trousseau de clés et l'une et l'autre sont remontées à l'appartement. Elles ont réveillé Clara qui les a suivies, à moitié endormie, jusqu'au cinquième étage.

— L'appartement est vide, leur a dit la concierge. Les locataires sont partis. Personne ne viendra vous chercher là.

Pourtant, la maman de Clara n'était pas rassurée.

— Si on vient nous arrêter, a-t-elle expliqué à sa fille, tu te cacheras là, dans cette garde-robe. Je trouverai alors un moyen de prévenir les parents de Julien.

Clara s'est précipitée dans les bras de sa mère en pleurant.

— Je veux rester avec toi, toujours, lui a-t-elle dit.

— Nous nous retrouverons, mon ange, quoi qu'il arrive. Mais il faudra peut-être que nous nous séparions, pour mieux nous débrouiller chacune de notre côté. Prends soin de toi et je prendrai soin de moi. Et puis, il n'est pas dit que l'on viendra nous chercher ici. Personne ne sait que nous y sommes.

Le lendemain, à l'aube, les policiers viennent frapper à la porte de l'appartement de Clara et sa mère. Du cinquième, elles entendent les coups violents assenés contre la porte et les cris des policiers qui ordonnent d'ouvrir. N'obtenant pas de réponse, ils s'apprêtent à repartir quand une voisine entrouvre sa porte et leur souffle :

— Elle est au cinquième, appartement de gauche.

C'est ainsi que la maman de Clara est arrêtée. Par la seule malveillance d'une voisine. Mais celle-ci ne la verra pas descendre seule, sans sa fille, car elle s'est empressée de refermer la porte et d'aller se recoucher.

> **C'est ainsi que la maman de Clara est arrêtée. Par la seule malveillance d'une voisine.**

Quand Julien, de sa fenêtre, voit la maman de Clara rejoindre le groupe, il pousse un cri. Sa mère se précipite et comprend aussitôt la situation.

— Elle est seule. Elle doit donc l'avoir cachée ! Reste ici, toi, ne bouge surtout pas ! s'écrie-t-elle avant de s'élancer dans la rue où elle essaie de trouver un visage connu parmi les policiers et inspecteurs en civil. En vain. Elle attire alors l'attention de la maman de Clara qui la voit enfin. Les deux femmes se regardent et ce regard en dit long. La maman de Clara sourit. Elle part rassurée quant au sort de sa petite fille.

Du Vél' d'hiv' aux camps de la mort

La rafle du Vélodrome d'hiver, appelée l'opération "Vent printanier", débute à Paris et en région parisienne le 16 juillet 1942, à 4 heures du matin. Environ 9 000 hommes des forces de l'ordre de Vichy participent et procèdent à l'arrestation de 12 884 Juifs étrangers ou d'origine étrangère. Parmi eux, 5 082 femmes et 4 051 enfants. Les célibataires et les couples sans enfants sont tout de suite expédiés en Allemagne ou en Pologne via Drancy. Les familles avec enfants sont internées pendant une semaine au Vélodrome d'hiver, rue Nélaton, sous l'immense verrière, presque sans eau, dans des conditions sanitaires déplorables. De là, on les transfère vers les différents camps de Drancy, Pithiviers et Beaune-la-Rolande, antichambre des camps d'extermination nazis d'Auschwitz, de Chelmno, de Treblinka, établis en Pologne... On estime à environ 6 millions le nombre de Juifs assassinés par les nazis. 76 000 ont été déportés de France, entre le printemps 1942 et l'été 1944 ; 2 500 seulement sont revenus. Il faut noter aussi l'extermination de 250 000 Tsiganes dans les mêmes conditions.

Le Vélodrome d'hiver

-O ù les emmenez-vous ? demande Mme Lucas en reconnaissant un des policiers.

— D'abord au commissariat, lui répond celui-ci, puis au Vélodrome d'hiver, rue Nélaton, d'après ce que j'en sais. Mais, je ne suis pas dans le secret, moi. Mon rôle, c'est de les arrêter et de les amener au centre primaire. Après, ils sont pris en charge par les collègues.

— Savez-vous où se trouve mon mari ? lui demande-t-elle encore.

Le policier hausse les épaules en signe d'ignorance.

Elle est stupéfaite par l'agitation qui règne dans le quartier, où les premiers bus arrivent, bondés.

Mme Lucas doit attendre que la rue se vide et se calme avant de rejoindre l'appartement. Mais il est trop risqué de faire sortir la petite en plein jour. Surtout que, d'après la concierge, la maman de Clara

31

a sûrement été dénoncée par quelqu'un de l'immeuble. Elle se contente donc de lui signaler sa présence, de lui donner quelques biscuits, de lui expliquer qu'elle reviendra la chercher à la faveur de la nuit et qu'entre-temps elle va tâcher de faire quelque chose pour sa maman. Dans l'après-midi, elle se rend du côté du Vélodrome d'hiver. Elle est stupéfaite par l'agitation qui règne dans le quartier, où les premiers bus arrivent, bondés. Elle voit les gens descendre, l'air hagard, hébété. Elle voit les policiers qui les poussent sans ménagement à l'intérieur du vélodrome d'où s'échappent des cris de femmes, des pleurs de bébés.

J'y étais, moi aussi. Et crois-moi, ce jour fut l'un des plus noirs de ma carrière.

C'est l'enfer que cet endroit-là, se dit Mme Lucas affolée. Elle ne comprend pas que ces policiers, ces hommes portant le même uniforme que son mari, l'uniforme de la police française, exécutent une tâche aussi ignoble. Impuissante, elle repart en pleurant. Au moins, la petite Clara, ils ne l'auront pas ! se dit-elle.

Dès la nuit tombée, Mme Lucas va chercher Clara. Julien accueille son amie les bras grands ouverts. Mais elle reste blottie contre Mme Lucas, tremblante. Julien ne l'a jamais vue aussi désespérée et son cœur se déchire.

Le papa de Julien rentre fort tard, ce soir-là, exténué. Mme Lucas veut aussitôt lui faire le récit de ce qu'elle a vu au Vélodrome d'hiver, mais il l'interrompt.

— Je sais, fait-il, je sais, j'y étais, moi aussi. Et crois-moi, ce jour fut l'un des plus noirs de ma carrière.

Julien ne le croit pas, même si sa colère ne semble pas feinte quand il explique que la majorité de ses collègues policiers ont accompli leur mission sans le moindre déchirement, sans le moindre état d'âme. Il raconte les arrestations auxquelles il a dû procéder, le nombre de gens auxquels il a laissé l'occasion de s'enfuir et qui ne l'ont pas fait car

ils ne savaient tout simplement pas où aller, où se cacher. Il lui décrit ensuite l'intérieur du vélodrome, la chaleur terrible sous la verrière, les odeurs insupportables, les cris, les pleurs.

— Tu dois essayer de faire sortir la maman de Clara. Nous ne pouvons pas l'abandonner, tu m'entends ? Tu dois la sortir de là !

C'est ce que tentera de faire M. Lucas le jour suivant. Mais la foule qui s'entasse au Vél' d'hiv' est si importante qu'il est totalement impossible de trouver quelqu'un de précis. Alors, il lance des appels micro, plusieurs appels qui restent sans réponse, car le bruit est tel que nul ne peut les entendre.

La foule qui s'entasse au Vél' d'hiv' est si importante qu'il est totalement impossible de trouver quelqu'un de précis.

— Elle ne m'entend probablement pas, dit-il au collègue qui lui a suggéré d'utiliser le micro.

— Qui elle ? lui demande-t-il.

— Une femme qui est là par erreur, lui répond M. Lucas.

— Une femme seule ?

— Oui.

— Mais alors, elle ne peut pas être ici. Seules les familles avec des enfants ont été conduites au vélodrome. Les autres partaient directement pour Drancy.

M. Lucas s'en veut de son erreur. Effectivement, sans sa fille, la maman de Clara se trouve forcément à Drancy. Il faut qu'il y aille, sa femme et Julien ont raison, il faut qu'il la sorte de cet enfer avant qu'il ne soit trop tard.

Mais M. Lucas ne pourra rien pour elle. La gendarmerie qui gère le camp lui en refuse l'accès. Quelques jours plus tard, Clara reçoit de sa maman quelques lignes griffonnées à la hâte lui apprenant son prochain départ pour une destination inconnue.

Anne Frank et son journal

Le 12 juin 1942, Anne Frank, une jeune fille juive de treize ans vivant à Amsterdam, entreprend de rédiger son journal intime. Pendant plus de deux ans, elle confiera à celui-ci chaque détail de sa vie quotidienne, de ses émotions, ignorant qu'elle laisse là, pour des millions de personnes plus tard, un témoignage bouleversant de ces années de tourmente. En juillet 1942, toute la famille, menacée d'arrestation par les nazis, se réfugie dans une cachette aménagée au-dessus du bureau de M. Frank, le père d'Anne. Ils y sont rejoints, un peu plus tard, par une autre famille. Entassés les uns sur les autres, manquant de tout, ils vivront en clandestins pendant deux ans, tremblant sans cesse d'être découverts. C'est ce qui arrive pourtant, le 4 août 1944, quand la Gestapo vient les arrêter sur une dénonciation.

Le 3 septembre 1944, la famille part avec le dernier convoi pour Auschwitz. Anne et sa sœur Margot sont transférées dans un autre camp, Bergen-Belsen, en octobre 1944 ; elles y meurent du typhus en mars 1945, quelques semaines à peine avant la libération du camp.

La Libération enfin !

Clara n'est plus la petite fille heureuse et insouciante que Julien connaissait. Il lui faut vivre cachée, à présent. Nul ne doit savoir qu'elle se trouve chez les Lucas. Il faut se méfier de tout le monde, même de ses plus proches voisins, tant les lettres de délation qui arrivent à la préfecture sont nombreuses. Alors les Lucas risquent gros si on apprend qu'ils cachent chez eux une petite fille juive. Clara ne va bien sûr plus à l'école et c'est un déchirement pour Julien de devoir faire le trajet seul, sans son amie à ses côtés. De plus, il lui faut mentir, dire qu'il ignore où se trouve Clara depuis la rafle. À la maison, les enfants doivent faire le moins de bruit possible, ne plus rire, ne plus jouer. De toute manière, Clara n'a plus envie de rien. Sans nouvelles de ses parents, elle est si triste que Julien n'arrive plus à la dérider.

Les Lucas risquent gros si on apprend qu'ils cachent chez eux une petite fille juive.

Seule une visite éclair de son grand frère Philippe met un peu de baume et de fierté au cœur de Julien. Philippe a débarqué une nuit, sans crier gare. Et tout le monde s'est réveillé fou de bonheur de le retrouver, grandi et forci, presque un homme déjà. Mais le bonheur de cette visite est suivi d'un immense chagrin. En effet, en découvrant que ses parents cachent l'amie juive de son petit frère, Philippe a déclaré :

Dans le réseau, on s'occupe de cacher des enfants juifs. On leur fait des faux papiers.

— Ce n'est pas prudent de la garder ici. Et ce n'est pas bon pour elle de rester ainsi enfermée, sans sortir, dans la peur. Dans le réseau, on s'occupe de cacher des enfants juifs. On leur fait des faux papiers et ils sont accueillis chez des paysans, un peu partout dans le sud de la France. Dans quelques jours, je vous enverrai quelqu'un pour la chercher. Qu'elle se tienne dès maintenant prête à partir.

Clara et Julien ont longtemps pleuré tous les deux. Ni l'un ni l'autre ne peuvent supporter l'idée d'être séparés. Même si M. et Mme Lucas tentent de leur expliquer que cela vaut mieux pour tout le monde, que Clara sera ainsi en sécurité jusqu'à ce que cette maudite guerre prenne fin. Mais pour Clara, cela fait trop de séparations, trop de chagrins qu'elle doit empiler les uns sur les autres.

Et c'est ainsi que Clara, une nuit, est emmenée par un homme qu'elle ne connaît pas et qui la conduit à la campagne, chez un couple de paysans où elle retrouve d'autres enfants juifs, comme elle. Clara passe là un séjour presque serein, un séjour sans étoile jaune, où elle peut à nouveau jouer, courir dans les prés et les bois, entourée d'enfants eux aussi séparés de leur famille et qui souffrent tout comme elle, même si chacun s'efforce de ne pas laisser transparaître son chagrin.

Chagrin dont souffre Julien également, qui n'a plus aucune nouvelle de son amie.

C'est avec un espoir immense que, quelques mois plus tard, les Lucas apprennent le débarquement américain en Normandie, le 6 juin 1944. M. Lucas explique à son fils que cela signifie que la guerre sera bientôt terminée.

Et ce jour d'août 1944 où Paris est enfin libéré, où Paris et les Parisiens sont en fête, Julien fait un vœu : qu'à la prochaine rentrée des classes, Clara soit de nouveau là, à ses côtés, pour reprendre le chemin de l'école. Julien n'ose formuler le vœu que Clara retrouve sa maman, la guerre terminée. Parce que son père a fini par lui expliquer qu'il ne pensait pas que l'on puisse revenir vivant de l'un de ces camps où a été déportée la maman de son amie.

Clara, quant à elle, espère de tout cœur le retour des siens et les attend.

Le vœu de Julien s'est réalisé. Clara est revenue et M. et Mme Lucas ont décidé de la garder avec eux jusqu'au retour éventuel de ses parents, ou d'un membre de sa famille, un oncle, une tante, un cousin. Clara, quant à elle, espère de tout cœur le retour des siens et les attend.

Un après-midi, en rentrant de l'école, ils trouvent dans la salle à manger, assise et leur tournant le dos, une femme très maigre, aux cheveux ras. Si Julien se demande qui cela peut être, Clara pousse un cri et se précipite dans les bras de sa maman.

Son papa, quant à lui, ne reviendra jamais, comme les six millions de Juifs européens exterminés pendant la Seconde Guerre mondiale...

Du jour J à la Libération

Pendant la nuit du 5 au 6 juin 1944, une armada de 5 339 navires alliés converge vers la Normandie. C'est le jour J, l'opération Overlord vient de commencer. Sa préparation a été confiée au général américain Eisenhower tandis que l'Anglais Montgomery a pour mission de coordonner les mouvements de toutes les forces alliées. Le 6 juin, tout se passe comme prévu durant cette journée qui restera dans les mémoires comme "le jour le plus long". Le débarquement en Normandie sera suivi par celui en Provence le 15 août 1944. Au nord comme au sud, les forces alliées avancent peu à peu, libérant les grandes villes et la majorité des départements. Le 19 août, Paris s'insurge et se libère de l'occupant, soutenu par la 2e division blindée des Forces françaises libres du général Leclerc. Le 26 août, le général de Gaulle descend triomphalement les Champs-Élysées. Partout, les troupes allemandes battent en retraite. Le 8 mai 1945, l'Allemagne signe la capitulation sans condition. Mais ce n'est que le 2 septembre 1945, avec la reddition du Japon, que la Seconde Guerre mondiale sera officiellement terminée.

Le bilan de la guerre

1945 marque la fin du conflit le plus meurtrier de tous les temps. On dénombre 40 à 50 millions de morts, dont une grande partie de civils, victimes des troupes d'occupation, du système concentrationnaire et de famines terribles. À ce bilan humain catastrophique, il faut ajouter un désastre matériel et financier d'égale ampleur. Les bombardements, sabotages et autres destructions ont réduit l'Europe à un vaste champ de ruines. La guerre a aussi bouleversé l'équilibre du monde et confirmé le déclin de l'Europe dévastée, endettée, au profit des États-Unis et de l'URSS. Malgré les ravages subis, cette dernière jouit d'un grand prestige politique et idéologique. Cette guerre se sera surtout signalée par l'ignorance absolue des valeurs humaines. Guerre totale, au mépris de tout respect des populations civiles et de la dignité de la personne. Guerre de terreur, de tortures et d'inhumanité méthodique. Guerre où la science et les techniques sont mises au service de véritables machines à tuer : déportations, chambres à gaz, raids aériens, bombes atomiques...

La libération des camps et le retour des déportés

À la fin de l'été 1944, au moment de la grande avancée des Russes en Pologne et de la poussée des Alliés jusqu'au pied des Vosges, Hitler aurait fait savoir aux commandants des principaux camps de concentration qu'il ne pouvait être question que les détenus tombent vivants aux mains des Alliés. Commencèrent alors, pour la plupart des camps, des évacuations insensées, à pied le plus souvent, et dans toutes les directions. Des dizaines de milliers de survivants furent abattus et périrent lors de ces marches. Leurs corps jonchaient le bord des routes. Cependant, jusqu'au jour de l'évacuation, ou jusqu'au jour de l'arrivée des Alliés pour les camps qui ne furent pas évacués, la routine des sélections et des assassinats fut maintenue. Si l'émotion était là, en 1945, lorsque, souffrants et décharnés, les survivants des camps de la mort revinrent chez eux, si l'opinion atterrée découvrit alors pleinement l'horreur du nazisme, très rapidement s'estompèrent les signes de sollicitude et les déportés eurent alors souvent l'impression de déranger. Il faut dire que ceux-ci étaient comme abasourdis, anesthésiés, emplis de fatigue et de stupeur. Lentement, très lentement, ils se mirent à raconter, à écrire. Mais les quinze années qui suivirent la capitulation allemande furent celles d'un quasi-silence sur ce que fut le sort des Juifs pendant la guerre. Il fallut beaucoup de temps avant que la déportation ne devienne objet d'histoire.

Le procès des crimes contre l'humanité

Du 20 novembre 1945 au 1er octobre 1946 se déroula à Nuremberg, en Allemagne, le premier procès mettant en accusation, devant un tribunal international (États-Unis, Royaume-Uni, Union soviétique, France), de hauts responsables d'un État, inculpés de crime contre l'humanité. Hermann Goering, successeur désigné de Hitler, figurait en tête de la liste des vingt et un accusés présents au procès. Hitler, Himmler et Goebbels s'étaient, quant à eux, suicidés dès la défaite allemande. Douze des accusés de Nuremberg furent condamnés à mort, dont Goering qui se suicida avant son exécution. Les autres furent condamnés à des peines de prison ou acquittés. Puis il y eut la capture spectaculaire par les Israéliens d'Adolf Eichmann. Celui-ci avait été le responsable de la déportation mais avait réussi à se cacher avant d'émigrer en Argentine où il fut repéré par les services secrets israéliens, puis enlevé. Son procès eut lieu à Jérusalem en 1961, après quoi il fut exécuté. En France eurent lieu également les procès de Klaus Barbie, ancien chef de la Gestapo de Lyon, en 1987, du milicien Paul Touvier en 1994 et enfin celui, en 1998, de Maurice Papon, secrétaire général de la préfecture de Gironde pendant l'Occupation.

Quatre acteurs de la guerre

ADOLF HITLER (1889-1945)

En 1920, il fonde le Parti national-socialiste des travailleurs allemands. Suite à une tentative de prise de pouvoir qui échoue, il est condamné à cinq ans de prison. Hitler rédige alors son ouvrage Mein Kampf (Mon combat), où il expose ses théories racistes et développe son plan d'hégémonie allemande en Europe. En janvier 1933, le maréchal Hindenburg l'appelle à la chancellerie où il s'empare très vite d'une autorité absolue et établit solidement la dictature à l'origine de la guerre de 1939-1945.

PHILIPPE PÉTAIN (1856-1951)

En 1917, alors général de division, il contient l'offensive allemande à Verdun. Le 10 juillet 1940, quelques semaines après l'effondrement des armées françaises, une majorité de députés et sénateurs réunis à Vichy lui confient les pleins pouvoirs. Il met alors fin à la IIIe République et prend le titre de chef de l'État français. Pétain mène une politique de collaboration étroite avec les Allemands. Traduit en justice à la Libération, il est condamné à la peine capitale pour haute trahison, peine qui sera commuée, en raison de son grand âge, en détention à perpétuité.

CHARLES DE GAULLE (1890-1970)

Général de brigade, il passe en Grande-Bretagne dès l'invasion allemande et, depuis Londres, lance l'appel, demeuré fameux, du 18 juin 1940, invitant tous les Français à se rallier à lui. Il est le chef de la résistance française qu'il dirige d'abord de Londres puis d'Alger à partir de mai 1943. Le 25 août 1944, le général de Gaulle entre dans Paris libéré où il installe son gouvernement provisoire. De 1959 à 1969, il est président de la République.

JEAN MOULIN (1899-1943)

Préfet d'Eure-et-Loire, il est chargé par le général de Gaulle de réaliser l'union et la coordination de toutes les organisations de résistance. Nommé président du conseil national de la Résistance, il est arrêté quelques semaines plus tard par la Gestapo à Calluire, près de Lyon, et meurt sous la torture. Ses cendres ont été transférées au Panthéon en 1965.

Chronologie

1939
- **1ᵉʳ septembre** *Entrée des troupes allemandes en Pologne.*
- **2 septembre** *La France et le Royaume-Uni déclarent la guerre à l'Allemagne.*

1940
- **10 mai** *L'armée allemande attaque à l'Ouest.*
- **18 juin** *De Londres, appel radiodiffusé du général de Gaulle.*
- **22 juin** *La France signe l'armistice avec l'Allemagne.*
- **3 octobre** *Le Statut des Juifs est promulgué par Vichy.*

1941
- **22 juin** *Attaque allemande contre l'URSS.*
- **7 décembre** *Attaque japonaise sur Pearl Harbor.*

1942
- **29 mai** *Port de l'étoile jaune obligatoire pour les Juifs.*
- **16-17 juillet** *Opération "Vent printanier" et rafle du Vélodrome d'hiver.*
- **8 novembre** *Débarquement allié en Afrique du Nord.*

1943
- **2 février** *Capitulation allemande à Stalingrad.*
- **10 juillet** *Débarquement allié en Sicile.*

1944
- **6 juin** *Débarquement allié en Normandie.*
- **15 août** *Débarquement allié en Provence.*
- **25 août** *Libération de Paris.*

1945
- **27 janvier** *Libération par l'armée rouge du camp d'Auschwitz.*
- **mars** *Les Alliés franchissent le Rhin.*
- **8 mai** *Capitulation de l'Allemagne.*